Collection dirigée par Jean-François Poupart

D1459499

La Dérive
des Méduses

KIM DORÉ

La Dérive des Méduses

LES **I**NTOUCHABLES Poètes de brousse

Les Éditions des Intouchables bénéficient du soutien financier du gouvernement du Québec (SODEC) et du gouvernement du Canada (CAC et PADIÉ).

LES ÉDITIONS DES INTOUCHABLES
4649, rue Garnier
Montréal, Québec
H2J 3S6
Téléphone : (514) 992-7533
Télécopieur : (514) 529-7780
intouchables@yahoo.com

DISTRIBUTION : DIFFUSION DIMEDIA
539, boulevard Lebeau
Saint-Laurent, Québec
H4N 1S2
Téléphone : (514) 336-3941
Télécopieur : (514) 331-3916

Impression : Veilleux Impression à demande
Infographie : Hernan Viscasillas
Illustration de la couverture : Nicolas Vigneau
Photographie : Ghislain Taschereau

Dépôt légal : 1999
Bibliothèque nationale du Québec
Bibliothèque nationale du Canada

ISBN 2-921775-87-5

Les nouveaux crimes

J'ai écrit une fois un livre d'hiver
qui n'a pas supporté
l'ineptie de sa quête
il s'est envolé en larmes
un jour de torrent humain.

Fin

Que la douleur me montre
à qui je ressemble
parmi ceux qui se perdent
l'enfant malade a éprouvé la terre
l'enfant borgne et veiné
l'orphelin qui se donne
et se roule dans les airs
a survécu

il s'échappe parfois d'un lourd secret
briseur de glace
il a toujours des ailes d'anathème
clouées sur les nuages
c'est le chouchou des infirmières
cet enfant qui s'expose
en blessures à la pouponnière
et qui chante en crachant du sang
enfant choyé de la conscience
enfant bossu du silence
il est mien de mon ventre
pour le lait qu'il me donne
et nos éclaboussures

j'ai souvent été vieille
avant de venir ici
la gorge défaite d'un large baiser
je m'éparpille dans son rire
de cellule en cellule
de miracles en coupures
que la marée me montre
à qui je ressemble.

piraterie

Bientôt la petite veine rose qui nous retient
ici se gonflera d'orgueil
pour faire éclater la différence de nos regards
nous serons fous ensemble
dans l'interdit et le raffinement
avec dans nos bagages
un manuel d'instruction
une pédale de distorsion
un bouton rouge sous verre
en cas d'urgence ou de délire
et bien sûr un grand feu glauque
tout plein de guimauves
pour effacer les traces de nos expériences
nous vivrons l'aube du soir au matin
en compagnie de notre chat jaune et gris
en attendant le mot de trop
qui fera gicler l'amour et ceux qui nous ressemblent
jusqu'aux terres mythologiques de la vengeance.

La beauté des bombes

Ô mathématiques sévères, je ne vous ai pas oubliées [...] car le Tout-Puissant s'est révélé complètement, lui et ses attributs, dans ce travail mémorable qui consista à faire sortir, des entrailles du chaos, vos trésors de théorèmes, et vos magnifiques splendeurs.

LAUTRÉAMONT, *Les Chants de Maldoror*

I

Je, émeute de fortune dans l'horizon gobe-mouches
l'artère reprend son chiffre à l'envers de l'image
une envie dilatée dans le noir
vermillon clair d'avenues sans surprise
l'aube peint la ville seins nus
ciel ! encore demain qui fugue
par les ficelles du viaduc râpé
risque de chute à l'endroit du souvenir
l'unique façon de vivre au passage
répandre le grain avarié de la splendeur
que ceux qui sont souillés se souillent encore
c'est l'artefact de profusion

II

je, cent quarante lieder quatre-vingt-quinze opéras
trois cent nouvelles quatre-vingt-quinze romans
un buste en un jour vingt-sept tableaux par an
l'Enfer à dix-neuf ans L'homme rapaillé d'une vie
j'ai brassé mon sang mon devoir reste à faire
sabotage artériel ou manque de catécholamines
dites-moi Docteur angélique ce trou que j'ai
ce qui meurt dans les volcans creusés
les ulcères la bouche pleine quand même
les obus dans la terre ce qui pousse dedans
l'énigme des aveugles atterrés
le peut-être où je baigne comme mon pays
ce qui sonne faux ici dites-moi
c'est l'amour qui bat le pavé du silence ?

III

je, pourquoi ne sais plus écrire
c'est la neige qui défigure les mots
elle qui refait la peau du jour en couperose
elle qui trahit le secret des ruelles
elle qui attaque surtout par derrière
et nos lèvres aboutées de force
dans un geste résigné c'est à cause d'elle
catharsis où l'amour enfreint la glace tu t'exaltes
la fourrure de trop se change en fantasme
d'aisselles rasées d'ivresse à la paille
je t'aime épinglé aux dentelles de l'hiver

par la buée de l'air que tu respires
et le motif de ton agonie sur la vitre

IV

je, les chiens du parcs
ont pour leurs maîtres des secrets
qui ressemblent aux yeux de cette fugueuse
confuse dans les bras de l'ennemi
elle croyait être la fille d'une autre
mais voilà l'entité au visage de vieille tante
pour lui rappeler d'où elle tombe
il faut admettre les traits de l'ancêtre
même chez le petit dernier grippé
l'ennemi s'attrape à la maternelle

V

je, tuer par l'iris au nom des nuits
qui ne crèvent pas d'allonger la cicatrice
le malheur a d'étranges pouvoirs
je n'oublie rien
sa peine n'est qu'un contretemps

VI

je, l'épreuve est d'ambre chaud la foi
un exercice dans l'invisible

nous sommes percés de fantômes
le bois des tavernes dans l'implosion d'une vérité
c'est l'art de la savate devant le juge
il faut brandir ce qui meurt dans l'idéal
peupler les enseignes amnésiques
pour inventer la suite si elle tarde et
l'enjeu sera spirituel le dénouement vital
je dis imbroglio parce que c'est joli
et les bombes me comprennent
je dis qu'il faut triller quand même
les fausses notes de l'oraison
pour une quintessence
de failles humaines et d'abandon
la faiblesse me dessine je dis l'offrande
acculée au ciel en foutoir esthétique
où les victimes s'imposent
par le nombre et la qualité de leurs suicides.

J'ai moins de souvenirs que si…

De mon passé il ne reste rien
qu'une mémoire de piscine hors terre
et l'alliage des couleurs
au comptoir à bonbons du dépanneur
quelques troncs d'araignées sacrifiées
aux soins des fureurs de l'enfance
les pneus du directeur crevé
et la Toute Puissante logique des chromosomes
frauduleuse splendeur d'un théorème
qui n'a cessé de m'asseoir
depuis la fugue d'une heure
jusqu'au tout dernier livre
encore inachevé dans la seule ruelle
où je ne vais plus seule
assise et seulement la cible
assiégée de sales sermons
sur les seins esseulés de détresse
un sourire en supplice de bonne sœur
je suis seule et sauvée
à saigner des souvenirs d'asphalte.

Polythéisme

J'ai plusieurs yeux
un dérivé de fille
et de boutade interrompue
née parmi les cordages
les cuisses vers le ciel
je possède le regard cyclique des soleils
et l'implosion du mort
je ne sais pas souffrir pourtant
j'accouche chaque nuit comme un étau
près des lampadaires

*

on le sait d'expérience
l'hiver la langue colle aux grillages
les maladies manquent de noms
pour parler on bave
et l'organe devient bleu
sous un linceul de neige

*

Cette fois où je n'ai pas cru
à l'importance du livre
j'ai accouché d'un teletubbie
et l'écran sur mon ventre
affichait la crise d'acné tardive
d'un lilas enneigé

*

je saigne de toutes les couleurs
comme un coup de reins dans le dos
entre les mots par la bouche
je saigne dans l'autre sens
le jour de ma naissance je saigne
des pierres au ciel.

Oracle

La fracture de l'origine opère
sur les ventres de l'Irlande
à la lueur des morts un homme fiévreux
déterre ses racines pour s'y pendre
il n'y a pas de lutins pour raconter son absence
et ses soirs de pleine lune
l'hécatombe du silence
entre lui et l'hiver
une bouteille vide
un verre de fond de Guinness
qui me rappelle sans cesse
l'abnégation des autres
les mélanges stratégiques d'un gros dieu alcoolique
à l'arrière-goût de défaite pour l'amour de la terre
au commencement du monde un peu avant la guerre
et votre saloperie de verbe
personne n'osait parler.

Origines de l'injure

Je n'ai rien fait aujourd'hui
si le rêve est un geste
de verre fracassé par le rire
seulement la ville jamais neuve
dans ses grands nuages sales
et son jeu d'humiliation
où les heures de sang partout
où j'ai planté des mots
rien à dire à refaire seulement

j'ai bu livide du vin sans image
en cherchant à gripper la lumière
échappée des ampoules
comme une offense à la grandeur
le sol a retenu ma volonté épave
d'un sens à répétition

je n'ai pourtant rien fait qui vaille
comme si le vent frappait un autre corps
la terre entière en sens inverse
toute ma mort venue d'ailleurs
malgré les prières lentes de colimaçon
je n'ai rien fait quand l'autre a noué la corde
et j'ai fermé ma gueule devant l'indécision
de ma démence prochaine

libellé des limites libellules
un matin au charnier
le ventre expulsera la chair
comme si c'était normal
il n'y aura pas de témoins
C'est l'ennui qu'il faudra plaider.

L'hiver a gardé nos suicides

... L'œuvre d'art de ta mort
comme un vieux symbole
vissé aux germes de l'origine
c'était une fin sans faute
il fallait nous y rendre
décrypter les marques du spectacle
et le circuit ouvert d'avant nos contingences...

*

C'est ici que la mort s'atténue
un soleil évadé déterre le cadavre
équivoque des nouveaux crimes
devant les cicatrices vivantes
un chien sourd se libère du vide
il ressent les visages en hurlant
un placenta dans la gueule comme un pari gagné
il faut vite préparer le souvenir des tombes
on a oublié l'épitaphe et l'amour
confondus dans la pierre
la prière s'interrompt le poète s'impatiente
et le chien mord sa queue
pareil à cette marionnette
qui veut s'ouvrir le ventre
pour chasser le bras et les doigts
et les ongles indociles qui refusent l'ensemble
nous vivrons heureux !
nous vivrons très vieux !

*

J'aime les couleurs d'une peau
qui ne sait pas attendre
les gravures païennes au sol qui nous imite
et ton ombre de toboggan parmi les artifices
j'aime ces fragments insolents
que l'on appelle corps
l'unique qui nous condamne
jusqu'à ta décision de garder
l'incident pour toi seul
tu consacrais l'ouvrage dans la jouissance.

La terre est lente comme un génocide

Déjà les charpentes prédisaient la haine
en raboutant les taches usagées de blessures
le pronostic d'abord puis la profondeur
et ce fut le tour des bacilles d'eau
répandus en partage parmi les perdants
qui ne se lavèrent plus pour croire au hasard
ceux qui étaient au bois chassaient le rance
et les autres battaient le blanc dans la gnôle
ou leur femme dans le blanc

jolis petits indiens en file indienne à la taverne
jolis petits indiens à deux heures du matin
vous n'endormez pas la stupeur de vos gênes
ceci est votre corps qui cuit sous terre
un mélange déliquescent de pain et d'oubli
consommé à genoux au cimetière communautaire
à qui se confier sinon aux enfants :

        bébé bridé c'est dans ta langue maudite
        que je me tais résolument
        quand le désolement
        jure que tu n'as aucune chance.

Voyeurisme

Je t'ai vue tu t'arrêtes parfois
la nuit le temps de changer tes aiguilles
et de poursuivre en bas collants
la ville qui raconte tes histoires
d'ombre bossue aux détours des ruelles
lumière écartelée de building caduc
le métal sur toi c'est de l'eau qui tombe
c'est demain qui se vend toi
comme la première fois
sur l'herbe dense et l'évidence
de toujours être une autre
dans l'espoir de ton nom

cherche encore c'est l'amour qui t'écrit
dans le dos preste du mystère
cherche parmi les faiblesses de la lampe
qui se sauve avec toi pour rien
pour brûler ailleurs en vain
tu peux bien te rouler dans la neige
tous tes membres s'inclineront davantage
vers l'explosion certaine
des énormes soleils que tu portes.

De loin l'évidence

Il nous arrivait parfois de ne rien faire
en toute conscience avoir l'idée molle
de s'arrêter dans l'urgence de boire un verre
en parlant du gala des torpilles ou encore
de ne pas parler pour croire bêtement au silence
on se consacrait à d'obscènes images
la beauté commençait de s'éparpiller
dans le mouvement des flammes
certains cherchaient à tout conserver
dans des bocaux de vitre pleins
de mots et de produits chimiques
sans que les arbres ne plient devant l'humain
le soleil plus malin atteignait lentement
nos têtes insouciantes le silicone pourri
des pairs de seins dernier cri
de mémoire frêle il fallait se soumettre
au culte d'un pervers passé à deux chiffres
garantie de l'esprit programmé avant de vivre
en somme l'avenir était partout
dans ce qui ne meurt pas
comme une erreur
comme l'éternité
qui nous passait lentement sur le corps

J'écris pour toi aussi

Emprunte cette artère opaque
bordée de mésanges jalouses près du parc
où tu m'as surprise la première fois
et suis les rayures de cette statue nerveuse
qui veille sur l'âge de nos déroutes
du sentier d'argile où tu brilles en planète
jusqu'au carrefour incertain souviens-toi
où l'on vend des visages d'éternité
et des glaces en remède à l'usure
le grand cirque métaphysique c'est là-bas
qu'il faudra abandonner tes valises fleuries
au sable qui nous survit le jamais plus
à ton bord de vaisseau évadé
tu iras nu à la mer et muet
tu crèveras les eaux de tes yeux
ce que je sais du ciel sera ton guide
à midi mon amour on te repêchera
près de la côte où fêtent les vivants
des rescapés de rien
des mystères beaux comme toi
là où je t'endosse de lèvres et d'écarts
tu confesseras peut-être ce qui brûle quand tu ris
ce que le feu dérobe à ton corps pour survivre.

Un sourire de fantôme

Je suis née moribonde le 6 décembre 1989
à onze ans l'alizé qui se plante
dans l'enceinte de peau c'est l'évidence
sidérée en conscience de carnage
comme on change de robe j'ai voulu être celle
qui évaserait le trou dans les mailles
pour guérir d'elles et de loin
la terre se fixe dans sa nausée
c'est un vacarme qui avance sous la gaze
le cercle d'infractions prolongées dans le gel
moribondes en fissures seulement pour dire
dans quelle langue on poursuit.

La Dérive des Méduses

C'est que nous avons ici, me dit-on, le feu primitif qui anima les premiers êtres... Jadis il s'élançait jusqu'à la surface de la terre, mais les sources se sont taries.

NERVAL, Aurélia

Je dirai plus tard pourquoi je n'ai pas choisi la mort
c'est d'abord le geste du hasard et de la génétique
une poupée naît dans le pourpre tendre
de l'arrière-boutique et en quelques secondes
tous les instincts du monde la traversent
elle s'appelle rêve ou Aurélie
elle a la bouche naïve des yeux de lunes noires
trafiqués par *un courant d'âmes vivantes*
sur sa poitrine dardée de fleurs de fer
un macadam de signes déjà

> *Nous vivons dans notre race*
> *et notre race vit en nous*

il est toujours trop tard pour calmer sa naissance
ce matin là je m'en souviens à peine
la mer ouverte s'est posée nue sur la berge
on est venu de loin pour fouiller son corps
et piller ses breloques de fonte et de défaites
je m'y suis rendue les yeux pleins de fièvre

sans trop savoir où je descendais
parmi les crânes et les canons
le sol glissant de corail irisé
de cadavres infectés la solitude marine
d'une vague épave drapée de cervelles
et des limaces fluorescentes lovées
dans les algues j'ai vu des globes
roulant à la dérive des perles de feu follet
animées de sang trouble c'est elle
ses yeux cachés de mascarade
le mauvais œil de l'éborgnée
couvert de veines intolérables
implorant mon silence et le sel de ses larmes
sur bien d'autres blessures en cheveux de serpents
et d'oiseaux fous c'est elle

*Il semblait que toute une race fatale se fût
déchaînée au milieu du monde idéal que
j'avais vu autrefois et dont elle était la reine*

une ville de statues la stupeur partout
des pierres indéchiffrables aux cœurs de lave
l'embryon pétrifié de la race
et le métal intact aux éclats d'anémone
dans l'écho éreinté d'un chant de néréides
la voix d'une personne vivante
sur toutes ces bouches inachevées
une seule phrase suspendue vers la mort verticale
était-ce un miroir ?
ô terreur ! ô colère ! c'était mon visage...

*

nul doute j'ai dans la tête
des yeux invisibles de méduse
qui me donne à voir ce qui aurait dû être
comme Nerval je mens :
je croirai avoir fait quelque chose de bon
et d'utile en énonçant naïvement la succession
des idées par lesquelles j'ai retrouvé le repos
dors encore rue de la Vieille Lanterne
le sommeil te prolonge
je veille sur Aurélia l'unique impérissable

je l'ai crue condamnée infertile aride
je la pensais vaincue depuis longtemps déjà
bien avant que tu viennes
je me suis répandue plusieurs fois sur son ombre
avec d'autres j'ai ranimé les danses infidèles
debout dans la fange en tournant
on criait son nom dans une langue inventée
près de la rivière et son rire de fillette
le sexe des colombes à la dérobée
j'ai pris la mort d'un cerf dans mes mains
et un cœur de luciole pour faire parler les fleurs
comme elle nous l'a montré
tu t'en souviens n'est-ce pas
nous avons bu le vin du rire
pour corrompre ceux qui osaient promettre

il en aura fallu des nuits à l'éternelle noirceur
pour surprendre les hommes

mais Dieu lui-même ne peut faire
que la mort soit le néant
le temps qui passe a repris ses reliques
et je revois souvent la *Vénus armée*
dans ma ruelle teintée de légendes en aérosol
elle a percé sa langue
pour ne plus qu'on la surprenne
endormie dans l'asphalte
elle a toujours un rire d'enfant qui glace
et des robes transparentes alourdies de ferraille
mais quand elle porte des aiguilles aux bras
ce n'est plus pour se défendre
mais pour oublier qu'elle s'appelle Aurélia…

comme dans ce tableau où tu rêves
nous sommes plusieurs à sourdre des limbes
avec des masques de couleurs
et des couleuvres dans nos cheveux
un fouillis de membres et de têtes
c'est l'histoire de tous les crimes
qui redessine le sexe de la terre
en forme de tentacules criblées d'oubli
c'est demain l'espèce de l'hécatombe
en évasion tribale de maquillage limpide
la beauté reprend les armes le temps de négocier
le sens et la saison de son exécution
elle sème au loin les germes des créations nouvelles
et nous revoilà engrossées de détresse
une armure d'épines pour la *fleur soufrée*
nous reviendrons cette nuit
de l'autre rive de la fin

35

et tu pourras l'écrire
sur les murs de ta nécropole :

    l'imagination humaine n'a rien inventé
    qui ne soit vrai, dans ce monde ou dans
    les autres

oui elle vit agrafée aux entrailles de l'hallucination
l'aïeule bienfaisante vierge ou voilée
la chimère coupable de sens et nous
amantes narcotiques sœurs du sort
accordant notre pardon pour une bise blafarde
et des bijoux qui saignent
dansons sonores sur tout ce qui dérange
la terre métamorphose sera notre silence
et la nuit en son centre
notre consentement.

Mystique de l'insomnie

La nuit s'achève mais le jour tarde
je pense aux heures qui succombent
entre chaque fin du monde
aux peurs qui me font danser à genoux
comme ces filles de fracture
allongées sur d'autres parages

la nuit s'achève et le jour tarde
car l'insomnie récupère toutes les vérités
c'est d'abord une musique crachée à contresens
puis de lourdes portes défoncées sur l'espace
je suis la science des défaillances
la terre sans bruit c'est le temps qui s'éclate
aussi gros qu'un monstre blême
aux antennes d'inconscience

la nuit s'achève et le jour tarde
je suis la lame de toutes les larmes
un fusil une bombe une tombe
un miroir tranchant qui menace lentement
les chairs pressées d'ivresse
dans l'attente d'une mort nouvelle

la nuit s'achève et le jour tarde
je suis une fête terminée dans l'informe
un pied une langue une bouche en lenteur
des mains de crimes ratés
sur un ventre de paille

des histoires de microbes
et de femmes embaumées
qui s'amusent sous un voile
l'enfant dans son berceau
aura lui aussi une belle femme voilée
un jour et il lui fera l'amour
à travers l'entaille faite au drap
en priant son dieu d'avoir un fils

la nuit s'achève et je suis sans revanche
le ciel sans la noirceur refuse de parler
il suffirait d'un mot
salé du sang de l'aube
à peine impur peut-être grave
un mot de franchise interdite
mais le ciel est obscène
et j'engraisse de défaites !

la nuit s'achève et le jour tarde encore
mon ombre profite du réseau des plaies
pour couler de partout
vers la lumière qui vient
je ne suis plus rien maintenant
qu'une morte sans motif
épatée sur un lit invisible
où je regarde faillir
un long poème de guerre.

Au matin la marmelade

Je voulais être là lorsque la lumière tombe
car ici les secondes se battent
pour devenir l'histoire dans l'attente
je renouvelle le bruit des naissances
catharsis du mouvement à minuit tout s'effondre
je tenais à me dire que la mort
est lente comme un sommeil sans images
pour crier dans toutes les langues
que je suis chaque soir le corps tragique du silence
au chevet des cadavres éthérés
je voulais être là parmi d'autres chimères
car notre repos simule des souvenirs
il n'y a pas d'aiguilles sur l'horloge à venir
pour mesurer le sang qui sèche sur les lames
ni sur le drame des corps qui rêvent
de mourir dans la douche
propres comme une conscience d'homme.

Repos de la chienne errante

pour Josée Yvon

Elle ne se lèvera pas ce matin
ne sait pas pourquoi
ballot sur les draps chargés
de poudre jaune et d'odeurs salées
elle respire à peine
le miasme de la veille
on dirait L'*Odalisque en grisaille*
tatouée au bras droit
mais sans les yeux

les siens sont plus lourds
de mascara éparpillé dans un rêve
et pourtant elle ne dort pas
ne voudrait pas mourir
sans remède aux artères
ce matin elle n'a plus la force
des stratégies dans la gorge
ni de pouvoirs dans ses bagues

récidive du jour à l'hôtel
dans la chambre d'à côté
un cri nerveux de bétail
acculé au destin
elle devrait se lever
ne se lèvera pas
à moins que ce ne soit l'autre

affairée à refaire des enfants
il s'agit pourtant d'une race
qui ne crie jamais...

mieux vaut jouer les malades
personne ne peut abuser d'elle
c'est déjà fait
elle fait semblant de dormir
pour tromper ses convulsions
c'est une guitare électrique
branchée sur d'autres corps
sans bouger *une sculpture dansante*
dans une flaque d'encre

hier encore elle a écrit des poèmes
ne sait pas pourquoi
pour la cause sûrement
ses *sœurs-rock* en offrande
ne pas tomber pour rien
un simple trop tard
au fer rouge comme sa veine

peut-on changer ce qui est désespéré
elle est encore couchée
sur la couverture du livre
ne se lèvera pas
il faut voir cette méduse allongée
dans la saleté des anges
belle comme un jardin abandonné
un accident qui dérange
un érable rouge qui survie dans l'asphalte

il faut consommer sa missive
de poison dans l'iris
et penser à elle quand on se venge.

Rictus

Des milliers de couvertures trempées
recouvrent mon corps tout sent la laine mouillée
comme la précarité de l'enfant virtuel
ses premiers cris coincés sous ma langue
font grincer le masque de l'humanité entière
mais je serai toujours seule
à maîtriser les veines furieuses de l'inconfort.

Le laboratoire mystique

Tiens du nouveau
ce n'est plus moi dans la geôle
et tu te fais impatient
le sol a ses débâcles aussi
il y a menace entre les pages
viscosité avide et viscérale
pour une piètre vengeance
l'assassin s'évertue mais ne sais pas nager
ne crains rien je ne parlerai pas du monde
imprenable sous tant de mauvaises herbes
je préfère causer de très près
si les plaies ont un âge
que la déroute se change en spectacle.

Apologie de l'invisible

L'obsession de ma terre réitère le malentendu
ici le paysage tient le sémioticien en laisse
comme la neige jaunit avant même de tomber
mascarade de mémoires mères du crime
ici les sangsues s'injectent de souvenirs cireux
pour assister au suprême mensonge
de notre culture à coups de regards taverneux
un dernier souffle de l'avorté
pour vous dire la bouche pleine
que la guerre qui nous enfante est vaine
ma terre hystérique produit mais ne donne pas
les mots sont égoïstes avant d'être malades
dans l'infini petitesse des bouches sans amour
les langues s'éparpillent comme cet accident
qu'il aurait fallu entendre
écrire soudainement la maladie exotique
ma terre aussi romantique qu'un jardin
de banlieue infesté de chenilles à lunettes
l'abri Tempo intemporel
le *nintendo* qui avale ses enfants
ces chers prodiges de l'aisance
qui seront toujours les premiers à tirer
pour dire les carabines la cocaïne
et les autres jolis mots
buffets froids compétitions de gazon
gaspillage onanisme bière gratis
deux amants blêmes jouent d'apostasie
sans amour le vieux réflexe du miroir

ma terre épuise le manque
de tout de toi d'aimer
pour être riche il faut savoir piller
alors on se poignarde à coups de masques
de gueules géantes qui s'échangent et se remplacent
car l'amour n'est pas moderne
et le poème doit se taire
au paradis des gloires guindées
j'ai compris pourquoi les chats de Baudelaire
se frottaient aux charognes.

Des images monstrueuses
de baleine

Écrire sous un palmier de Key West
c'est rebondir sur les verres fumés du paysage
je cherche à bronzer pour être sage
ici il fait trop chaud pour projeter l'indicible
les mystères de l'absence
ou les nages agitées du poème
avec un masque pour respirer
pour pleurer dans l'eau salée
sans jamais atteindre la profondeur
des univers de corail ou les corps
de noyés endormis dans les algues
il n'y a jamais rien qu'une épave de papier
pour les poissons qui parlent
l'azur complaisant et c'est très bien ainsi.

Enterrements

Il y a des gens, je le sais, qui, s'employant en vains efforts pour atteindre l'impossible, acquièrent aisément, grâce à leur seul jargon, une sorte de réputation de profondeur parmi leurs complices les pseudo-penseurs, pour qui obscurité et profondeur sont synonymes

POE, *Eurêka.*

Ce qui m'échappe fait peur
c'est chaque jour le supplice
des visages qui me prennent par surprise
jusqu'au cauchemar propre et sûr
comme la torture d'Orient
frais comme un embryon dans son éprouvette
c'est mon cauchemar en conserve
et son goût de vinaigre
l'odeur du caoutchouc au bûcher du bon sens
et les morts qui se battent
pour une place dans ma faiblesse
des morts imberbes mal suicidés
des morts masqués en hors-la-loi
des morts esthètes des morts de fête
des morts qui mangent
en tête-à-tête à la brochetterie grecque
des morts amnésiques des morts incurables
des morts de plaisir insoutenable

des morts récidivistes et des morts visionnaires
sacrifiés en plein sommeil
sur un livre hautement métaphysique
là où le rien se rattrape à l'amour
éclaboussé sur des pages blanches.

Mathématiques

Je flotte dans l'eau de mer
Je nage dans l'objectif
je plonge dans l'évidence
je dérive de justesse
dans les bras du calmar j'avale de l'encre
et les rondeurs demeurent exactes
sous les bonds du caillou millénaire
noyée de vraisemblance que dis-je
la vérité sans gouvernail et revoilà Rimbaud
qui s'impose en limace sur terre oui
je m'avère précise dans le doute chronique
comme tout ce qui prend forme par accident
il y a les vérités orphelines qui tombent des yeux
les vérités apprises dans l'erreur d'un livre
les vérités admises dans l'écartèlement
les vérités tordues entre les bouches et la bouteille
les vérité sournoises implantées au sommeil
et celles qui se trémoussent dans les bénitiers
les vérités surprises en délit par la pluie
les vérités scalpées de chercheurs échevelés
de buveurs échaudés (je pense aux certitudes
de ce patron bourré qui, un soir, s'étant trompé
de bungalow parmi les répliques cordées
de la rue *Tu n'existes pas,* a défoncé les toilettes
de la voisine pour vomir sa confusion
et s'en est tiré en payant le nettoyeur de tapis…)
les vérités d'hiver aussi cachées sous les pelisses
vérités de badauds en bordure du trafic

ou vérités vacantes de clitoris tranchés
de guerres qui prolifèrent seulement à la télé
parmi ces éclairs qui pleurent souvent d'êtres belles
je pense surtout à celles qui s'écartent
du centre de la terre infléchies sur elles-mêmes
celles qui se dérobent à toutes les prévenances
pour dérouler le rêve aggravé de peut-être
je pense aux stigmates insistants de beauté
au front de l'ombre qui veille sur nos soupçons.

À nous deux le désordre

De dérives en débâcles la rivière
est éternelle mansarde du soir
je suis à genoux devant elle comme toi
mon temple et tes yeux d'évasion
entre deux arbres qui se tiennent sur la tête
la bouche pleine de racines j'arrête
de penser la corde de mes rêves
le ventre macéré d'images du temps qui tombe
j'attends d'arracher des fleurs aux ruines
debout maintenant sur les sables
mouvants de ton silence
pour attraper les vents qui grondent
et le moment choisi de notre débandade
parmi les signes de toi
voici mon sang sur les langes
mon sang parmi tant d'autres
où je m'éveille trempée aux lèvres de l'augure
dans le mensonge du corps
les promesses du poème
la vieille dame du parc Lafontaine
attend patiemment d'être jeune
avec un sourire à vous fendre le cœur
je parle d'une erreur qui nous ressemble
toi tu chantes les nuances
entre la preuve et l'évidence
mais nos jambes sont prises
du reste au ciel et nos bras
se prennent de lourdes coïncidences

j'aurai le sourire goulu de la Gorgone
tu seras partout le spectre de l'indolence
héros de l'engelure avant le jour
nous n'aurons plus froid
la goutte au tombeau
d'une saison rieuse
nous serons témoins ensemble
du risque de nos entrailles en dansant...

Barbituriques

Si rigoureux que soient les réseaux de protection, je suis toujours simultanément à l'Extérieur, en train de donner mes ordres, et à L'Intérieur de cette gangue de gélatine, de cette camisole de force qui s'étire et se déforme pour se reformer inéluctablement avant chaque nouveau mouvement, chaque pensée, chaque impulsion, tous et toutes marqués du sceau d'un juge étranger…

WILLIAM BURROUGHS

Ce jour de trop le temps des hommes
a fui par d'étranges lézardes
entre les heures il était toujours midi
et j'ai voulu devenir l'essence vague
de ton fantôme étendu sur les murs qui tombent
le vide s'inclinait dans tes nuages
avec mes ailes de chauves-souris
j'étais aussi une ombre aux désirs intolérables
un livre gris prisonnier des indices de grandeur
et j'ai dormi sur un mauvais présage
dans l'odeur forte des univers de face
avec des clowns méchants comme toujours
et le rire papillote des spectateurs
le ciel tremblait sans jamais tomber
j'étais l'instant d'avant

à t'attendre longtemps
l'instant d'avant seulement
pas tout à fait mourante
maintenant et à jamais
transpercée d'avance.

L'émail des saisons

C'est l'automne où je reviens sans apprendre
la métaphore s'amincit les détails me dérangent
un garde-fou de rouge entre la feuille et l'arbre
quelques hasards en mieux où je ne voyais rien
et peut-être le dénouement d'une marche
dans l'escalier de neiges imaginées
mais le zèle des déchets en surface
c'est la même œillade confuse une même cascade
sous chaque pas qui traîne sa suite
c'est un retour convenu aux déceptions nageuses
les capotes empilées qui font tourner l'ennui
des balles de laine étourdies
ce n'est qu'une grenade dans l'arène
et l'espoir qui pourrit de honte
dans la mémoire d'un bourgeon
le fusil chargé d'eau pour taquiner l'arabe
et les peaux en demande
c'est l'automne où je reviens sans apprendre

Métamorphoses à la chandelle

Que les couleurs se trompent
et que la nuit me prenne sans permission
je ne veux plus deviner ce qui aurait du être
pour rougir au scalpel devant ce qui viendra
nous étourdir bientôt et encore
je dis l'amour est un virus en liberté conditionnelle
que le rire s'évapore maintenant
et que mon nombril sèche
au nom des miracles clandestins
d'un certain droit à l'insignifiance
je refuse de pleurer en faisant la vaisselle.

Après Artaud

Une maladie dont celui qui la porte
n'a pas conscience n'est pas un trouble
dans la mesure où le microbe ignore
ce qui fuse à la face du monde
il n'y a que la terre d'inconnue ici
une terre d'arbres centenaires
où l'être flâneur de cimetières
ne devine que vaguement les symptômes
du vent sale qui lui arrache la tête
le cerveau empaillé sourit bêtement
du haut du mur où on l'a mis
je dis trop tard
l'infection est un accessoire
de décoration pour les vieux.

Funeste fiction

On ne traverse plus le miroir
c'est lui qui nous absorbe
Alice digérée recrachée
comme une idée très vieille
ouvre les bras au verre coupé
morceaux de chairs engelures
et autres *fictions complaisantes*
enfant on m'a juré qu'il n'y aurait plus de vers
après Auschwitz je dis peut-être.

Human interest

Kosovo prière conditionnée par l'image
ne comptons plus les jours
ni les années qui nous séparent d'autres génocides
de toutes les morts la plus terrible
n'existe pas encore elle sera d'Amérique
une méga production à l'étude
mais voilà je veux savoir
y a-t-il des rayons sur les charniers
comme ce lit où tu dors à l'abri de l'humain ?
je dis fausse conscience des couleurs
alors que les marchands de guerre
s'échangent des scrupules
Kosovo jusqu'ici tu te désincarnes
le drame virtuel et nos douleurs
un poème vague comme les territoires
tu meurs et je le dis car tes fils mourront
aussi devant leur mère épargnée pour rire
le ciel téléroman métaphysique et commenté
ailleurs d'autres cadavres plus silencieux
rien à faire des univers en années-lumière
Kosovo tu es déjà trop loin
un vain courrier électronique
un éclat du bulletin sempiternel
je pleure toujours à six heures
six heures une l'animateur dérape
six heures dix ma mémoire tamisée l'ambiance
six heures trente il neigera encore
sept heures peuplées d'ombres j'oublie

défaillance technologique à huit heures
manger et boire au goulot
ceci est ton sang Kosovo
je dis le temps est un leurre moderne
neuf heures de l'Amérique
dors-tu Kosovo je ne t'entends plus
surtout ne pas te voir en rêve j'ai sommeil
et demain il faudra vivre et dormir
sur bien d'autres boucheries
je dis demain Kosovo
pour ne pas t'écrire
je porterai ta cible
au large de ma conscience.

Avril dans l'évidence

Si tu pouvais me promettre de ne pas mourir
la haine s'enfermerait peut-être dans le corps
de cette nuit où le ciel s'est vengé
si tu arrivais à voir les motifs incongrus
qu'a laissés ma revanche
je jure qu'il n'y aurait plus d'ennemi
ni de raison à ma révolte
je dis le mensonge est délateur
d'une vérité éclatante
la vérité est une lame rouillée
et les lames s'enfoncent en secret
dans la démesure éhontée du ventre
d'un continent convaincu des vertus
de son vieux membre en manque de convulsion
le poison ne saurait trop attendre
si tu pouvais seulement comprendre
que c'est l'orage ce soir
qui m'a sauvée la vie
la pluie qui vient laver les heures
à t'attendre avec une ombre
qui n'est pas la mienne
dans la rue on se cache
comme si le ciel menaçait la scène
Montréal fille de pute pardonnée par l'orage
je n'espère plus de réponse
ni de toi ni de l'ombre
c'est encore de l'eau qui tombe.

B.A.-BA

Hourra je dis des mots pirates
qui éclatent au trépas
des mirages obsolètes
où s'assomment les lois
où se plantent les têtes
en signe de renverse
que les mots se blessent
je dis que je m'éclate
sur les lèvres du pirate
qui trépasse au passé
des blessures formulées.

J'avoue enfin devant l'autre

on raconte que le remède existe dans les mots
un peu comme la musique qui force à danser
certaines secondes me retiennent entière
où j'ai toujours eu peur de naître
c'est peut-être le poids des mers sur la faiblesse
apprise par cœur la saignée qui s'évade avec l'ombre
au moment critique où j'en ai vu assez
les images recommencent où je les ai laissées

on raconte que ta mort a un cœur de lueur
au petit paradis où tu me vois fondre
devant les comptoirs de crème à glace
qu'il y aurait plusieurs races de suicidés
et que le placenta camoufle la fin de chaque chose
je ne veux pas savoir ce qui t'a séduite
dans tout ce que j'ignore reste-là
nous sommes sœurs à bout portant
dans l'amour des mêmes fleurs j'en suis sûre
à plus tard à bientôt j'y arrive j'aime

on raconte aussi les déboires du temps
prisonnier de la suite demain pour rien
les cicatrices disparaissent plus vite maintenant
que les strip-teases d'automne la couleur
devient l'unique nudité plausible au dehors
c'est l'orgie dans l'intime beauté
la raison pour laquelle je manque
à être triste trop longtemps j'aime

on raconte souvent que le poème est lieu
de renaissance mise à prix de la vie
on naît condamné il faudrait encore
porter l'hérésie et les autres mots creux
jusqu'au silence incontestable ou
traîner les cadavres politiques dans un sac
il y a trop de faillites je ne sais plus
distinguer la douleur des fantômes
pas d'indice ici qui ne soit vital j'aime

on raconte que le remède existe
qu'il est probable d'attraper
le bras d'un érable mort
aux pieds meurtris des cataractes
pour rejoindre le courant dans l'unique sens
et si la terre est sans tête
je me donne aux tempêtes libres
la maladie d'un baume l'écart en furie
j'avoue toutes les fautes qu'on raconte
si l'offrande me dépasse je succombe.

L'indécence

J'ai planté des épines dans l'œil de l'absolu
une beauté imparfaite comme la neige
à présent je ne tombe plus sur la glace
c'est le printemps le désordre
je l'ai voulu d'une conscience immortelle
je dis célébrer l'erreur dans l'abondance
j'avoue tous les pouvoirs de l'artifice
cet amour graffiti je l'ai créé seule
un lundi après-midi en plein drame
du rire qui s'oublie c'est moi
je ne connais d'autres sujets que le mien
d'autres avenues que l'errance
d'autres corps que la mort
et je gazouille d'aisance parmi les paysages
informes de ma transe.

Parée pour le bal

Ouvrez large la bouche c'est par elle
que l'océan regarde à travers les gouffres
centrés sur nos têtes et ici le texte commence
écoutez-moi rien ne compte avant ces lignes
larvées de glaise solide les mots
gravés dans le sable l'amour captif
la volonté nubile les dérives de survie
tout cela s'arrête ici où je m'enterre
loin des eaux simulacres d'un large
loin dans l'autre qui se tord sur terre
je choisis de poursuivre avec les yeux que j'ai
avec lui les balafres que j'ai et ma voix larvaire
échappée aux décors du pays qui carbure
je choisis l'entropie du labyrinthe percé
je choisis les couloirs terrestres.

Table

Achevé d'imprimer en novembre 1999 chez

VEILLEUX
IMPRESSION À DEMANDE INC.

à Longueuil, Québec